Beste knaagdiervrienden,
welkom in de wereld van

Geronimo Stilton

GERONIMO STILTON
WIJSMUIS, DIRECTEUR
VAN 'DE WAKKERE MUIS'

THEA STILTON
SPORTIEF EN DAADKRACHTIG, SPECIAAL
VERSLAGGEEFSTER VAN 'DE WAKKERE MUIS'

KLEM STILTON
ONUITSTAANBARE GRAPJAS,
NEEF VAN GERONIMO

BENJAMIN STILTON
LIEF EN ZACHTAARDIG,
NEEFJE VAN GERONIMO

Tekst: Geronimo Stilton
Omslagontwerp: Larry Keys
Ontwerp: Merenguita Gingermouse

Oorspronkelijke titel: L'amore è come il formaggio...
Illustraties: Larry Keys
Vertaling: Loes Randazzo

© 2000 Edizioni Piemme S.p.A, Via Galeotto del Carretto 10, 15033 Casale Monferrato (AL), Italië
Internationale rechten © Atlantyca S.p.A, Via Telesio 22, 20145 Milaan, Italië
www.atlantyca.com - contact: foreignrights@atlantyca.it
© België: Baeckens Books nv, Uitgeverij Bakermat, Mechelen 2004
© Nederland: Bv De Wakkere Muis, Amsterdam 2004
3e druk 2009

Stilton is de naam van een bekende Engelse kaas. Het is een geregistreerde merknaam van
The Stilton Cheese Makers' Association. Wil je meer informatie ga dan naar www.stiltoncheese.com

www.geronimostilton.com – www.geronimostilton.be – www.dewakkeremuis.nl

ISBN 978 90 5924 373 6   NUR 282/283   D/2004/6186/25

Geronimo Stilton

ECHTE MUIZENLIEFDE IS ALS KAAS...

IK BEN TROTS
OP MIJN SNOR!

Op een ochtend was ik heerlijk op mijn gemak
aan het werk op mijn kantoor...
Ja, mijn kantoor. Jullie weten toch waar dat is,
of niet?
Wat? Dat weten jullie niet? Echt niet?
Nou dan zal ik dat even precies vertellen.
Mijn kantooradres is:
Raviolistraat nummer 13 in
Rokford, de muizenstad!
Ik ben uitgever van *De
Wakkere Muis*, de meest
gelezen krant van wakker
Muizeneiland.

Mijn kantoor ligt aan de Raviolistraat, nummer 13

Weet je nu wie ik ben?

Ik ben dus Stilton, *Geronimo Stilton!*

Afijn, ik zei al, ik zat op mijn gemak te werken, toen de deur openzwaaide...

Daar kwam mijn zus Thea binnen. Zij is speciaal verslaggeefster bij de krant.

'Geronimo,' piepte zij. 'Je ziet een beetje bleek om je snuit!'

Ik murmelde: 'Natuurlijk zie ik bleek, HET IS NOTA BENE WINTER!'

Ze kwam naar me toe en terwijl ze me strak aankeek mompelde ze: 'Ik bedoel dat je er echt bleek, ziekelijk bleek, echt lijkbleek uitziet!'

'Als je het niet erg vindt, ga ik door met mijn werk, Thea. Ik heb het heel druk! Kijk eens hoeveel manuscripten ik nog moet lezen!'

Ik pufte en wees met mijn POOT op een

berg papieren die zo hoog lag opgestapeld dat hij bijna omviel.

Ze kwam nog dichterbij en bleef me strak aankijken.

Ze mompelde theatraal: 'Ik... maak me zorgen, heel veel zorgen, om je! Zoals jij eruit ziet, vind je nooit een *vriendin!*'

Ik antwoordde: 'Heel lief dat je zo bezorgd bent, maar ik voel me lekker, kaaslekker! En ik ben helemaal niet op zoek naar een vriendin!'

Onverwachts trok ze een haar uit mijn snor.

'Auuu!' gilde ik.

'Wat doe je nu? Ik ben trots op mijn snor, weet je? En dat wil ik zo houden ook!'

'Deze snorhaar breng ik direct naar het laboratorium van Professor Piepet, om hem te laten onderzoeken. Wat je ook hebt, ik weet het juiste medicijn, je moet gewoon eens fijn op vakantie, een cruise naar de STILLE MUISZEE of zo.'

En weg was ze.

Vergiste ik mij of zag ik een vakantiefolder met zeecruises uit haar tas steken? Toeval?

WAAROM BEN JE ZO PRIKKELBAAR?

Toen ze weg was, slaakte ik een zucht van verlichting. Ik probeerde mij net opnieuw te concentreren op het manuscript, maar daar zwaaide de deur alweer open.

Dit keer was het mijn neef Klem.

'Geronimo!' piepte hij verschrikt, toen hij mij zag zitten.

'Wat zie jij eruit! Ik schrik ervan! Je lijkt wel een **zombie!**'

'Waar heb je het over? Ik voel me prima!'

Hij schudde zijn kop, streek zijn snor glad en zei: 'Nee, niet liegen! De oude Klem neem je niet zo gemakkelijk in de maling! Je bent ziek,

heel erg ziek, zieker dan ziek. Je wilt het niet
weten vanwege die, eh, dingen. De plicht! Je
STORT nog liever hier boven je bureau in,
terwijl je die manu, eh, dingen leest, je weet wel,
de manuscripten... Maar heb je onlangs nog in
de spiegel gekeken, hè? Ik wil wel geloven dat je
zo geen vriendin vindt...'
Ik zuchtte: 'Begin jij nu ook al? Wat is dat toch
met die vriendin? *Laat me met rust!* Ik voel me
lekker! Het enige wat ik
wil, is met rust gelaten
worden!'
Hij schudde zijn kop en
liep op de puntjes van
zijn poten een rondje om
mij heen, alsof hij iets
vreemds aan mij
ontdekt had.

Hij mompelde: 'Ik heb heel toevallig, echt heeeeeel toevallig, dat zweer ik op mijn muizeneer, een medisch handboek bij me. Daar staan symbolen van ziektes in...'

'**Symptomen,** geen symbolen!' verbeterde ik hem. 'Ja, dat bedoel ik, symbolen of symptomen, zoiets in ieder geval...'

Hij toverde een boek tevoorschijn en begon erin te bladeren. Het viel mij op dat er in het boek een folder stak over zeecruises: weer **TOEVAL?**

'Effe kijken, effe kijken... lijkbleek, nerveuze blik, doffe snorharen, haaruitval...' Terwijl hij dat zei stak hij een poot uit en trok een pluk haar uit mijn vel.

'Zie je wel? Kijk eens hoe je verhaart! Voor je het weet ben je helemaal kaal!'

'Auuu!' gilde ik.

Hij ging verder: 'Volgens mij is het een kwestie van S T R E S S... ben je eenzaam? Als je nou een *vriendin* had, dat zou...'
Ik protesteerde: 'Wat hebben jullie toch allemaal vandaag?'
Hij schudde meewarig zijn kop.
'Wij hebben helemaal niets. *Jij* hebt wat, Geronimo. Je bent ziek, heel ziek, zieker dan ziek, misschien is het wel BESMETTELIJK!'
Terwijl hij dat zei, deed hij voorzichtig een stapje achteruit, en hield een zakdoek voor zijn snuit.
'Niet boos worden, maar ik wil geen bacellen.'
'Ja hoor, toevallig noem je dat **bacillen!**'
Hij trok zijn muizenschouders op.
'Nu jij je zin, bacellen, bacillen, maakt mij niet uit... Je kan wel iets aan je blinde worm hebben, of een maagzwerm!'
'Je bedoelt **blinde darm** of een **maagzweer!**'

Klem kwam nu heel dichtbij en bekeek mij zeer kritisch.

'Volgens mij zie je ook een beetje geel... Ik heb ooit iets gehoord over een leverziekte, daar werd je helemaal geel van, geelvrucht...'

Ik zei geërgerd: 'Geel*zucht*...'

'Ook goed, ook goed... pietje precies. Je snapt in ieder geval wat ik bedoel. Heb je trouwens al een testament opgesteld? Ja, sorry dat ik dat zo vraag, maar iedereen bij *De Wakkere Muis* moet toch weten wie de kar gaat trekken (ik neem aan: ik), als er iets met jou gebeurt...'

'Je bent een echte zwartkijker!'

Hij giechelde. 'In ieder geval, eens lekker op vakantie is het beste, volgens mij! Een cruise naar de STILLE MUISZEE misschien? O, ja, en natuurlijk... een *vriendin!*

PROFESSOR
PIETER PIEPET

Op dat moment ging de telefoon.
'Hallo, hier Stilton, *Geronimo Stilton!*'
'Dag, ik ben Professor Piepet. Uw zus Thea
heeft mij een snorhaar van u gebracht om te
onderzoeken. Volgens haar heeft u dringend
goede zorg nodig. Ik adviseer u dan ook (net
zoals uw zus al deed) meteen op vakantie te
gaan. Een cruise op de STILLE MUISZEE
zou u goed doen.'
Ik gilde wanhopig: 'Hoezo vakantie? Ik moet
werken!'
Ik hoorde op de achtergrond mijn zus fluisteren:
'Hoort u dat, hoe prikkelbaar hij is?

...u heeft dringend goede zorg nodig...

Dat zei ik u toch!'

Klem griste de telefoon uit mijn hand.

'Ik vertelde hem ook al dat het erg is, maar hij gelooft me gewoon niet!'

Hij begon in de hoorn te fluisteren: 'Hij was altijd een beetje van de ratten BESNUFFELD... prikkelbaar, toen hij opstond al... uitpuilende **KOGELOGEN...** schriel... fletse snor... schroeiende blik... en roomkaasbleek... **DOFFE VACHT...** We moeten voor hem zorgen... wat het ook kost... Ook tegen zijn wil, voor zijn eigen bestwil... erg... ernstig... ziekenhuisopname... of een cruise naar de *STILLE MUISZEE...* misschien dat hij een leuke *vriendin* tegenkomt.'

Ik spitste mijn oren. Waarom had iedereen het over een cruise naar de *STILLE MUISZEE?* En wat had een *vriendin* daar mee te maken?

Klem zette de luidspreker van de telefoon aan.
We hoorden de professor op gewichtige toon
piepen: 'Luister, u bent op de verkeerde weg.
Sinds zij mij vertelden dat u aan **ernstige
vormen** van stress lijdt, vraag ik mij af: heeft
u soms problemen met uw vriendin? Hoe het
ook zij, we beginnen met een kuur, een
injectie...'
Ik brulde uit volle borst: 'Hoezo problemen?
Hoezo *vriendin?* Hoezo injecties? Ik voel me
goed. Ik heb me nooit beter gevoeld! Sterker
nog: ik voel me perfect! Ik wil met rust gelaten
worden, door iedereen! Ik heb er genoeg van!'
Ik hoorde mijn zus en de professor mompelen:
'Arme ziel, hij denkt dat hij zich goed voelt...
Het is echt erg met hem, *heel erg!*'
De professor herhaalde: 'Ik raad u een vakantie
aan, naar de **STILLE MUISZEE** of zo!'

Ik dacht nog eens diep na.

Ja, ja, **erg toevallig.**

Mijn hoofdredactrice kwam binnen,

Fifi Kashmir. Ze keek me

bezorgd aan en mompelde:

'Mijnheer Stilton, uw zus heeft

mij alles verteld, ik vind het heel

erg voor u. Dokters zijn heel

knap en kunnen veel. Natuurlijk

zou een vakantie goed voor u zijn.

Misschien een cruise naar de

STILLE MUISZEE?'

Fifi Kashmir

Weer die cruise!

'**Genee g!** Ik voel me goed! Beter dan

ooit! Hoe vaak moet ik dat nog zeggen?'

Ik zag dat er een stukje van een folder over

cruises uit de agenda van Fifi stak.

Dit kon geen **toeval** meer zijn.

Klem schudde zijn hoofd. 'Nu zie je het zelf!
Hij heeft een inzinking, hij verliest zijn
zelfbeheersing. Maar maak je geen zorgen,
Fifi, het is niet besmettelijk, hopelijk!'
De deur zwaaide open en mijn zus kwam
binnen met een verpleegster.
Op ferme toon stelde zij zich voor: 'Ik ben
zuster Dragonder, zeg maar draak.
Ik heb hier een injectie voor ene Geronimo
Stilton!'
Ze giechelde: 'Waar is het slachtoffer?'
'Hier!' gilden Thea en Klem in koor, en wezen
naar mij.

zuster
Dragonder,
ook wel
draak
genoemd.

IK HAAT
INJECTIES…

Ik werd bleek. Ik haat injecties (nou weten
jullie het zeker, ik ben een lafmuis).
Ik stribbelde tegen: 'Wat, wat, wat? Ik voel me
goed!'
Zij fluisterde: 'Ja, ja, ja, dat zeggen ze allemaal…
U zult zien dat u zich straks beter voelt, als
nieuw!'
Ik gilde: 'Ik weiger!'
Zij nam een injectiespuit, spoot een STRAALTJE
van de inhoud omhoog, en brulde met trillende
snor: 'Ik ben er klaar voor! We willen deze
injectie toch niet verknoeien? Doe je broek
omlaag, angsthaas! U stelt zich aan als een klein

muisje, zoveel kabaal voor zo'n klein spuitje? Bangerik, kom op, dan kun je op reis. Op een cruise naar de STILLE MUISZEE...' Zelfs mijn staart trilde van angst. 'Ik heb geen injectie nodig. Ik ben gezond, wanneer begrijpen jullie dat nou eens? En wat heeft die cruise ermee te maken?'

Er kwam een man, dat wil zeggen een muis, binnen. Een PLECHTIG UITZIENDE muis.

Hij droeg een vergulde bril, een zwart pak en een cilinderhoed.

Heel gewichtig streek hij zijn snor glad en mompelde: 'Piep, mag ik mij voorstellen, ik ben notaris AD AKTE, ik ben hier voor een testament...'

AD AKTE

Ik gilde: 'Maar ik wil helemaal geen testament opmaken, ik voel me prima!'

Hij probeerde me te sussen: 'Windt u zich niet op, al met al kunt u best nog een tijdje een mooi leven leiden (als u niet doodgaat, bedoel ik), ik weet alles van uw cruise naar de STILLE MUISZEE.'

Ik piepte: 'Wil iemand mij vertellen waarom iedereen het steeds maar over een cruise naar de STILLE MUISZEE heeft?'

Thea en Klem keken elkaar samenzweerderig aan.

De redactie van De Wakkere Muis

GI-GA-GEITENKAAS

Ik **BRULDE,** terwijl mijn snor trilde van opwinding: 'Nu is het genoeg geweest, ik moet weer aan het werk! De redactie wacht op me.'

De deur zwaaide open en mijn kleine neefje *Benjamin* kwam binnen. 'Oom Geronimo, is het waar dat je heel erg ziek bent? En om beter te worden ga je op een cruise naar de **STILLE MUISZEE?'** Bezorgd sprak hij verder: 'Oom Geronimo! Als je gaat, neem je mij dan mee, alsjeblieft!'

Ik stelde hem gerust, ik aaide hem zacht over zijn kleine muizenoortjes.

'Maak je maar niet ongerust, minimuisje van
me, ik voel me goed. Waar ik ook heen ga,
wanneer dan ook, je gaat met me mee...'
Miezelien, mijn secretaresse, piepte:
'Mijnheer Stilton, hier zijn uw tickets voor de
cruise, het zijn er vier, voor u en de rest van de
familie. Ik heb betaald met uw creditcard
(uw neef Klem zei
dat u akkoord ging).
Het reisbureau raadt
u aan HAAST te
maken, het schip
vertrekt namelijk
over twee uur! Wat
heerlijk voor u, een
cruise naar de
STILLE
MUISZEE...'

Ik keek stomverbaasd. Tickets? Cruise? Schip?
STILLE MUISZEE? Met mijn creditcard
betaald? GI-GA-GEITENKAAS!
Nu viel het kwartje: het was een samenzwering,
een complot van de familie om mij een vakantie
aan te smeren!
Thea deed of haar neus bloedde, Klem giechelde
stiekem en Benjamin juichte: 'Alsjeblieft, oom,
gaan we? Dan word je snel weer beter! Ik maak
me echt een beetje zorgen om je!'
Ik wilde nog een keer uitleggen dat ik me prima
voelde, beter nog dan prima, dat ik helemaal
niet op reis hoefde, maar... ik omhelsde
Benjamin en zei: 'Oké, laten we dan maar gaan,
kleintje, als je zo graag op cruise wilt. Koffers
pakken allemaal!'
Twee uur later waren we aan boord.

HARTIGE KAASTAART
IN BLADERDEEG

Het cruiseschip *De Muizenmuiter* vertrok
van de kade. We werden uitbundig uitgezwaaid
door knagers die afscheid namen van de
vertrekkende passagiers. Ik stond aan dek met
mijn familie. Klem zwaaide naar zijn vrienden.

'Dag Rattenrakker, tot ziens Maatjemuis, doei
Klunsknager... Schip ahoi!'
Thea maakte aan één stuk door foto's. Benjamin
wilde opgetild worden, hij was nog te klein om
over de reling te kunnen kijken. Hij pakte me
stevig vast en mompelde: 'Oom, IK BEN ZO
BLIJ. Dit wordt een fantastische vakantie!
Muizenmythisch! Vooral omdat jij erbij bent,
oompje...'

Die avond zaten we allemaal aan tafel in de grote Galazaal. Ik las het menu:

Kaassoufflé
*
Hartige kaastaart in bladerdeeg
*
Schimmelkaasschuitje
*
Kaasschuimpjes

Het menu voor de cruise-passagiers

Ik likkebaardde, wat een feest!
Maar er wachtte mij een muizen-
miezerige verrassing.
Ik kreeg een schaal voorgezet met soep van
knolraapjes, een half hardgekookt ei (zonder
zout!) en een blad (gestoomde) biologische
groente. Als dessert een gekookte pruim.
'Maar... maar... waarom krijg ik niet al die
lekkere kaasschotels?' vroeg ik teleurgesteld.
De kelner schudde zijn hoofd (zag ik daar een

...verschrikkelijk!

*Het menu
Gezond tegen
elke prijs*

sadistische grijns op zijn snuit?): 'U staat op de lijst: Gezond tegen elke prijs! Dat betekent: dieet! En probeer er maar niet onderuit te komen, we houden u allemaal scherp in de smiezen. Het is voor uw eigen bestwil.'

Ik deed mijn beklag bij Thea. Maar zij was ONVERMURWBAAR.

'Professor Piepet heeft gezegd dat je absoluut op dieet moet, een ontslakkings-dieet! Daarna voel je je beter, dat zul je zien!'

Ik wilde protesteren maar ik wist dat het niets uit zou halen. Opeens kreeg ik een idee...

Rattenrap sloop ik weg en verstopte me in het souvenirwinkeltje van het schip. Daar verkochten ze ook kaasrepen, kaasvlinders en andere snacks, van alles...

VERBOD OP KAAS
VOOR GERONIMO!

De knager achter de toonbank bekeek mij
van staart tot snuit.
'Ja, ja, als ik het goed begrijp wilt u kaasblokjes,
kaasvlinders, gesmolten kaasdip en
pannenkoekjes met kaascrème kopen?'
'Inderdaad... inderdaad,' antwoordde ik
LIKKEBAARDEND.
Hij keek op een lijst die hij onder de toonbank
verstopt had.
'Ja, ja, u heet Stilton, toch? Geronimo Stilton?
Op deze lijst staat u als Gezond tegen elke prijs!
Dus... geen kaasblokjes, kaasvlinders, kaasdip
en pannenkoekjes met kaascrème! U moet zich

U staat op dieet, toch? Het is voor uw eigen bestwil!

aan uw dieet houden, weet u? Het is voor uw
eigen bestwil! Maakt u zich geen zorgen, als u
het even niet volhoudt, helpen wij u. We houden
u in de smiezen!'
Ik liep weg met trillende snorharen van
teleurstelling en een maag die knorde van de
honger.

mijn snor haren trilden
mijn snor haren trilden
mijn snorharen trilden

EEN, TWEE, HUP!

De volgende ochtend, om zes uur, bonkte er
iemand op mijn deur.

'Mijnheer Stilton? Ik ben uw trainer, SPEEDY
SPRINT. U staat ingeschreven voor het
programma Gezond tegen elke prijs, toch?
Daarom gaat u nu joggen op het panoramadek.'
Nog helemaal slaperig wilde ik protesteren,
maar de trainer sprak al verder: 'Na het joggen
gaat u naar de SAUNA (we stoken het
vuurtje lekker op naar 110 graden), dan zwemt
u 250 rondjes in ons olympisch bad (ik zal ze
zelf komen tellen), dan traint u een uur
aaneengesloten met gewichten (we beginnen

Lopen, Stilton, lopen!

met 10 kilo en eindigen met 50 kilo, 60 mag ook, nog beter 70, 80, 90, misschien wel 100, als u niet instort). Dan is er tijd voor een snelle SNACK (een half sneetje geroosterd brood met een gezond vers geperst grape-fruitsapje). Daarna bent u de rest van de middag vrij om aan het andere programma deel te nemen waarvoor u staat ingeschreven. Een, twee, hup! Lopen maar!'

Ik vroeg helemaal perplex: 'Sorry, ik begrijp het niet helemaal! *Welk ander programma?*'
'Ja, dat zult u nog wel zien!' Hij gaf me een vette knipoog.
Ik wilde nog veel meer weten maar ik kreeg geen kans het hem te vragen.
Ik moest en zou lopen!

BEN JIJ
MIJN ZIELSVERWANT?

Tegen twaalf uur was ik helemaal uitgehongerd.
Erger nog dan uitgehongerd: ik zag scheel van
de honger!
Ik knabbelde (knars, knars) het halve

Manuela Zoetelief

sneetje geroosterd brood op en
dronk het versgeperste
grapefruitsap (BAH!).
Ik was net op zoek naar een
lekker ligbed in de zon toen
iemand brulde:
'Joehoe!'
Ik draaide me
geschrokken om.

Daar stond een muizendame. Ze droeg een grote *roze* strohoed met een brede rand en een grote strik, een *roze* zonnebril versierd met *roze* glittertjes, en een *romantische, roze* jurk. Ze was behangen met een enorme hoeveelheid kostbare sieraden.

Aan haar arm hing een rieten MANDJE vol met bloemen. Ze hield een boeketje viooltjes pal onder mijn snuit. Ik begon direct te NIEZEN. Ik ben namelijk allergisch voor viooltjes!

'O, u moet Stilton zijn, Geronimo Stilton! De beroemde uitgever!' piepte zij *op hoge toon.*

Ik antwoordde, op mijn hoede: 'Ja, inderdaad, dat ben ik, Stilton, *Geronimo Stilton...*'

Ze zwaaide weer met de viooltjes onder mijn snuit: 'U staat ook ingeschreven voor het programma *Ziels-* *verwanten?* Wat spannend, hè?'

Met een ondeugende blik op haar snuit stelde
zij zich voor: 'Ik ben *Manuela Zoetelief,*
wilt u mij begeleiden?'
Ik kon niet weigeren, ik ben tenslotte een zeer
welopgevoede muis. Zij bracht me naar het dek
waar het programma *Zielsverwanten*
zou worden gehouden. Ik had graag willen
weten wie mij daar voor ingeschreven had!
Cor Amor, de organisator van het programma,
kwam aangelopen.
Met een tevreden gezicht speldde hij een verguld
h♥rtje op mijn colbert, met de tekst: **Ik doe**
mee aan het programma *Zielsverwanten!*
Ik zakte bijna door het dek van schaamte.
Amor had zich nog maar net omgedraaid of ik
rukte het speldje van mijn jas en verstopte het
in mijn zak. Het programma begon.
'We beginnen met danslessen, de WALS,

natuurlijk in avondkostuum!' kondigde de dans-
leraar **Jos Hoesmuis** aan. Hij was een
muis met een fraai gekrulde snor, een plastic
bloem in zijn knoopsgat en een goed ingevet
haarstukje. Hij zwierde rond in een enorme
wolk aftershave, met een schimmelkaas-
aroma. Hij zag dat ik het h♥rtje niet droeg en
speldde mij pardoes een nieuwe op!
De les begon.

Daar walsten wij op het dek, (op het heetst van de dag, zo tussen 1 en 2 uur) in **avond-kostuum.** Met wie? Met Manuela Zoetelief, dat *roze* typetje, natuurlijk!
Zij had zich rattensnel omgekleed.
Terwijl we dansten vroeg ik haar, gewoon om het gesprek gaande te houden, wat zij deed voor de kost: 'Jeetje nee, werken, dat doet een dame niet! Een echte dame houdt zich alleen met *romantische* zaken bezig. Ik heb het veel te druk om te werken. Ik schilder, schrijf gedichten, kweek rozen en viooltjes en BORDUUR MET KLEINE KRUISSTEEKJES...'
Cor Amor kreeg in de gaten dat ik het h♥rtje opnieuw had verstopt en speldde me weer een nieuwe op. 'Hebt u hem alweer verloren, warmuis? Straks prik ik gaatjes in uw oren en hang hem daar aan, hoor!' grapte hij.

GERONIMO, DANS,
DAT ZAL JE GOED DOEN!

Op dat moment kwam mijn neef Klem langs,
de laatste muis op aarde die ik had willen
tegenkomen.
Hij giechelde: 'Bravo, neef! Ik zie dat je je
best doet... dans, dans, dat zal je goed doen!
Terug in Rokford heb je dan meer kans om
eindelijk je zielsverwante te vinden! Misschien

zul je haar hier op het schip zelfs al vinden, wie weet...' en hij gaf me een knipoog terwijl hij naar Manuela wees. Hij fluisterde zachtjes in mijn oor: 'Weet je wie dat is? Dat is *Manuela Zoetelief*, dochter van de grootste kaasvlinderproducent. Een rijke erfgename, rijker bestaan ze niet! Die laat je toch niet door je 🐾🐾🐾🐾🐾🐾 glippen, hè? Je ziet zo dat ze gek op je is! Daar verwed ik mijn vel om!'

Ik siste tussen mijn tanden door: 'Wat kan mij dat nou schelen! Wat maakt mij dat uit hoe rijk haar vader is! Ik wil mijn *vriendin* zelf uitzoeken!'

Hij grijnsde: 'Doe nu niet zo moeilijk, alsjeblieft!'

Mijn neef vroeg *galant* aan Manuela: 'Mag ik deze dans van u?'

Zij accepteerde met een *lieftallig* gebaar.

Terwijl zij pirouettes draaiden op
het dek hoorde ik hem fluisteren: 'Laat hem niet
ontsnappen, Geronimo is een gouden vangst,
een heel nobele knager... Hij denkt alleen
aan werken... Is een beetje verlegen... U moet
hem aanmoedigen... volhouden... Ik zal hem
weer laten dansen, dat doet hem goed...'
Mijn snor trilde van woede, waarom bemoeide
mijn neef zich niet met zijn eigen zaken?
Manuela kwam mijn kant op *gefladderd.*

'*Joehoe!* Daar ben ik weer! Mijnheer
Geronimo! Niet jaloers zijn hoor, uw neef is
toch niet zo mijn type, ik hou meer van
intellectuele muizen zoals u! Het was wel
ontzettend aardig van Mijnheer Klem om u in
te schrijven voor dit *programma...*'
Ik klapte bijna uit mijn vel van woede.
Dus hij was het, hij schreef mij in! Ik had het
kunnen weten! Als ik hem in mijn poten krijg,
zal ik hem...!
De middag kroop voorbij. We kregen nog een
spoedcursus: Goede Manieren (1).
Toen een cursus:
Zeg het met Bloemen (2).
Een cursus: Handkussen,
eh, ik bedoel
Pootkussen (3).

3

4

Vervolgens een cursus: Romantische Liefdesbrieven Schrijven (4). Alsof dat nog niet genoeg was er nog een cursus Romantische Ballades Zingen Onder Haar Balkon (5).

En als klap op de vuurpijl moesten we verplicht deelnemen aan een Tangoles.

De tangoleraar was een rare snuiter, ene **Pablo Gitana**, ook wel De Aal genoemd.

Een knager met een duistere blik.

Hij flirtte met alle dames die zich voor de cursus hadden ingeschreven.

5

Hij had een perfect gekrulde snor,
een glanzend, met gel
ingesmeerd vel.
Hij stampte met zijn poten en riep
'Olé' met een roos tussen
zijn tanden geklemd...
Het orkest speelde steeds hetzelfde
liedje:

'Als de muis van wie je houdt
niet bij je kan zijn,
hou dan van de muis
die bij je is... olé!'

Pablo Gitana
ook wel **De Aal**
genoemd

Ik ging naar mijn hut, het was pas zeven uur en
ik was totaal uitgeput. Ik kon niet meer.
Als we niet aan boord van een schip waren
geweest, was ik zeker weggevlucht.
Maar waar kon ik heen?

STINKENDE ADEM

Er wachtte mij een vreselijk diner: drie plakjes rauwe wortel, een gekookt zoutloos doperwtje, een gestoomde garnaal, en een glas uiensap.
De kapitein, **RoB Foezel,** kwam naar me toe.
Hij mompelde: 'Beste Stilton, ik heb u de wals zien dansen met juffrouw Manuela (ja, ja, de jeugd!), en op aanraden van uw neef heb ik voor u een *romantisch* tafeltje voor twee gereserveerd zodat jullie gezellig samen kunnen keuvelen.'
Ik lachte als een muis met kiespijn.
Ik zag Klem glimlachen.
Thea gaf me een knipoog.

Benjamin lachte mij liefdevol toe en vroeg:
'Oom, is het waar, gaan jullie trouwen? Moet ik
haar dan *tante Manuela* noemen?'
'Nee!' gilde ik luid.
Manuela kwam er aan.
Ik dronk mijn glas uiensap tot de laatste druppel
op. Ik hoopte dat mijn vienstank-adem
haar op de vlucht zou jagen, maar helaas hielp
ook dat niet!

WONDEROLIE
MET KAASSMAAK

De volgende dag deed ik net of ik ziek was en
bleef in mijn hut.
Maar het duurde niet lang of er werd op mijn
deur geklopt. Mijn haren gingen ~~recht~~
~~overeind~~ staan.
Wie zou dat zijn?
Ja hoor, het was *Manuela Zoetelief!*
'*Joehoe,* mijnheer Geronimo, ik hoorde dat u
zich niet lekker voelde. Ik heb een mooie
dichtbundel voor u meegebracht. Zal ik een
paar gedichten voordragen?'
Ik probeerde heel beleefd te weigeren.
'Dat is heel aardig, maar...'

Zij voelde met een poot of ik koorts had.

'O, maar u hebt verhoging. Ik zorg graag voor

zieken. Ik heb een cursus gevolgd bij het Rode

Kruis. Ik heb hier een **DRANKJE** dat goed

is voor bijna alle ziektes.'

Ze haalde **rattensnel** een fles en een lepeltje

uit haar tas. 'Kijk...'

Voordat ik ook maar iets kon zeggen had ik al

een lepel met een **MISSELIJKMAKEND**

drankje voor mijn snuit. Het stonk naar

wonderolie.

'Het ruikt naar wonderolie!'

'Goed zo, het is ook wonderolie... met

kaassmaak!' piepte zij heel tevreden.

'Een beetje **LAXEERMIDDEL**

zal u goed doen, u zult het zien...

Mond open!'

Ik deed mijn mond open om te

zeggen dat ik het niet wilde, maar zij maakte van deze gelegenheid gebruik om de lepel pardoes in mijn mond te stoppen. 'Bleehhh!' Gelukkig kon ik haar ervan overtuigen weg te gaan.

Een uurtje later... begon het in mijn buik aardig te rommelen. Burp... Bruuu... Burp... Buurrp... Het leek wel of ik een vulkaanuitbarsting in mijn buik had. Ja, jullie raden het al: de wonderolie begon te werken...

Nu voelde ik me echt niet lekker!

ZOVEEL KLETSPRAAT…

Ik ben een goed opgevoede muis, dus ik vertel
jullie niet wat ik de daaropvolgende uren
allemaal beleefde. Ik denk dat jullie dat zelf
wel kunnen verzinnen!

Klokslag zeven uur klopte Manuela op mijn
deur. '*Joehoe!* Mijnheer Geronimo! Ik ben
het, Manuela Zoetelief… hoe gaat het met u?
Heeft de wonderolie geholpen?'

'En hoe!' bromde ik met opeengeklemde kaken.

'Vanavond kan ik niet in het restaurant eten. Ik
laat de ober wel iets in mijn hut brengen!'

Ze ging weer weg.

Ik *verheugde* me al op een lekker maal in

mijn hut, lekker rustig, helemaal alleen.

Een beetje tv-kijken, een boekje lezen...

Maar helaas, om acht uur klopte er weer iemand op mijn deur. *Zoetelief*!

'Zo helemaal alleen eten, een beetje televisie kijkend, met niets anders dan uw boeken om u heen... arme stakker, zo eenzaam! Maakt u zich geen zorgen, ik heb wat lekkers meegebracht, vanavond eten we knus samen. En dan moet u me alles over uzelf vertellen, ik wil echt alles horen. Dan leren we elkaar beter kennen!

Goed plan?'

'Nee! Eh, nou ja, maar nee, doet u geen moeite!'

Ik probeerde er onderuit te komen.

HELEMAAL IN PANIEK

zei ik toen: 'Eh, ik voel me opeens veel beter, ik denk zelfs dat ik in het restaurant ga eten!'

Verrukt piepte ze: 'U voelt zich beter? Wat fijn!
Misschien... komt het door mij, ik heb blijkbaar
een goede invloed op u!'
Ze vervolgde: 'Weet u wat ze allemaal over
ons zeggen, mijnheer Geronimo... de andere
passagiers beginnen al te roddelen. Ze zeggen
dat wij goed bij elkaar passen!'
'Wat, **wat, wat?** Roddels? Kletspraat?
Bij elkaar passen? Eh... nou ja, eigenlijk...'
Zij piepte: 'Ik wacht op u in het
restaurant, aan ons tafeltje! Ik ga gauw
uw zus geruststellen. Thea heeft mij
gevraagd goed voor u te zorgen, mijnheer
Geronimo... Zij denkt dat u een *vrouw*
in uw leven mist!'

GEEN SNORHAAR DIE DAARAAN DENKT!

Ik kleedde me in alle rust om (ik had helemaal geen zin in een etentje met Manuela) en sleepte mij naar het restaurant.

Zij zat daar al in haar avondkleding op mij te wachten. *Lieftallig* zwaaide zij naar me toen ze me zag.

'*Joehoe!* Mijnheer Geronimo, hier ben ik, ik wacht op u!'

Vanuit mijn ooghoeken zag ik iedereen naar ons kijken. Ze lachten en ik kon ze horen roddelen:

'Zie je die twee daar?'

'Wat romantisch, hè?'

'Zo'n schattig stel, zo verliefd!'

Alle passagiers keken naar ons...

'Hij is een intellectueel, hij is uitgever van
De Wakkere Muis.'

'Zij is zo rijk, haar vader is de producent van
die verrukkelijke Kaasvlinders.'

'Ze hebben elkaar leren kennen tijdens het
Zielsverwanten-programma.'

'Men zegt dat ze aan boord
zullen trouwen.'

'Ja, natuurlijk, de kapitein
kan ze in de echt verbinden.'

Ik spitste mijn oren.

Trouwen? Aan boord?

Ik draaide mij om naar de
kapitein. Hij gaf me een
samenzweerderige
KNIPOOG.

Hij kwam heel bedaard
naar me toe lopen, streek

RoB Foezel

zijn snorharen glad en zei: 'Ik heb al heel vaak
paartjes aan boord zien trouwen, geloof me...'
Ik voelde dat mijn snuit helemaal **ROOD**
aanliep, zo rood als een overrijpe tomaat, en
stamelde: '**Trouwen?** Nee dank u,
hemeltjelief zeg, ik moet er niet aan denken,
maar hartelijk dank voor het aanbod, geen
snorhaar die daaraan denkt, jeminee!'

Manuela en Geronimo

WILHELMUS WERVELWIND:
DE TORNADO

De ober kwam naar mij toe en hield een telefoon onder mijn snuit.

'Telefoon voor u, mijnheer Geronimo! Het is uw opa!' Hij fluisterde snel: 'Gefeliciteerd, wanneer is de bruiloft?'

Wilhelmus Wervelwind

Onthutst keek ik hem aan.

'**NOOIT**' piepte ik.

Ik voelde iedereen naar me kijken.

Ik stotterde verontschuldigend: 'Nooit eh... kan mijn opa eens op een fatsoenlijke tijd bellen... hij belt altijd tijdens het eten...'

Ik nam de hoorn op en hoorde de stem van mijn opa, **Wilhelmus Wervelwind**, ook wel **Tornado** genoemd.

'Kleinzoon! Ik ben trots op je! Ik dacht lang dat het nooit meer goed zou komen met je. Maar nu ben ik trots.'

Ik stamelde: 'Wat bedoel je, ik snap het niet.'

Aan zijn stem kon ik horen dat hij glunderde van tevredenheid: 'Niet zo bescheiden! Ik hoorde dat je het hart van een vooraanstaande dame hebt veroverd. De dochter van Zoetelief, de koning van de kaasvlinders, goed gedaan kleinzoon! Ik ken hem goed, Zoetelief, we zijn lid van dezelfde club. De M.M.M.M.M.-club, de club van Machtige Muizen Met Massa's Munten. Hij was ook blij met het nieuws. Hij houdt wel van een intellectuele muis in de familie.'

Ik begon (ja, ja, nu al) het te begrijpen.

'Opa! Wou je mij vertellen dat je al met de vader van *Manuela* gesproken hebt?'

'Natuurlijk! Als ik er niet was om alles te regelen... maar afijn, ik heb dus een afspraak met Zoetelief gemaakt. Zodra je terug bent kun je hem om de **POOT** van zijn dochter gaan vragen. Hij zal de bruiloft betalen. Hij wil er een groots feest van maken, met ongeveer duizend tot tweeduizend

(of zelfs drieduizend) gasten. Diner bij hen op
het familiekasteel, een bruidstaart van drie
meter en vijf verdiepingen, en jullie gaan met
zijn privéjet op huwelijksreis...'
Alleen al de gedachte aan de taart bezorgde mij
rillingen.
Manuela kwam naar me toe en zei: 'Wat ziet u
BLEEK, mijnheer Geronimo! Voelt u zich niet
goed?'
Ik probeerde te glimlachen.
Ondertussen stamelde ik: 'Opa, wacht,
opa, ik moet je iets vertellen...'
Hij onderbrak me: 'Kleinzoon, stel me niet
teleur! Ik ben zo trots op je! Dat je voor één
keer in je leven iets goeds doet. Ik moet
ophangen, zo'n telefoontje is duur!'
En hij smeet de hoorn op de haak.

DE WRONGELWALS

De kapitein vroeg om stilte en kondigde aan:
'Laat ons dansen. Ik stel voor dat het meest
romantische paartje aan boord het bal
opent: Mijnheer Geronimo Stilton (bekend
uitgever) en Mevrouw Manuela Zoetelief
(kaasvlinderimperium-erfgename)!
Een applaus graag!'
Iedereen klapte.
Ik zag hoe *Benjamin* een
traantje wegpinkte. Ik wilde hem
het liefst waarschuwen zich niet te
veel te verheugen omdat daar geen enkele reden
toe was! **Ik wilde helemaal niet trouwen!**

Thea keek tevreden, alsof ze wilde zeggen:
eindelijk heeft mijn broer zijn draai gevonden.
Klem giechelde stiekem. Hij had BLIKSEMS
goed in de gaten dat ik niets van Manuela moest
hebben!
Manuela droogde haar tranen met een
geborduurd zakdoekje, geparfumeerd
met de verleidelijke geur van schimmelkaas.
Pablo Gitana fluisterde in mijn oor: 'Vraag
Manuela ten dans, Stilton! Doe niet zo verlegen!
Na al die danslessen... (en dan heb ik het nog
niet eens over al die tangolessen!).'
Met tegenzin gaf ik toe: 'Goed dan...'
Ik boog voor Manuela en piepte: 'Wilt u met mij
dansen, mevrouw Manuela?'
'OH JA, heel graag, mijnheer Geronimo!'
Het orkest begon te spelen, romantische muziek,
een wals, de Wrongelwals, en wij WERVELDEN

*Het orkest speelde
de Wrongelwals*

over de dansvloer terwijl alle knagers
applaudisseerden. Manuela fluisterde in mijn
oor: 'Houdt u eigenlijk van kinderen, mijnheer
Stilton? Ik wel, heel veel. Ik zou een goede
moeder zijn, weet u! (Ook een goede
echtgenote, dat zeggen ze allemaal!)'
Ik stond versteld en wist niet meer wat ik
moest doen. Zo stijf als een robot liep ik terug
naar ons tafeltje.
Benjamin gaf me een vette knipoog en stak mij
onder tafel iets toe. Het was een zakje kaaschips.
'Hier, oom Geronimo, die zijn voor jou! Laat ze
je niet afpakken...'
Ik was zo dankbaar en gaf hem een knipoog om
te tonen dat ik het begreep, en stak het zakje
snel weg. Ach ja, Benjamin is niet voor niets
mijn lievelingsneefje, *hij begreep als enige
dat ik honger had!*

OM JE SNOR
BIJ AF TE LIKKEN

Toen Manuela naast me kwam zitten
schraapte ik mijn keel: ik wilde haar
vertellen dat ik er niet meer tegen kon en dat
ik met rust gelaten wilde worden!
Maar plotseling vroeg ze mij met een lach
zoeter dan honing: 'Mijnheer Geronimo, weet
u dat u echt een charmante knager bent?'
Ik mompelde, beschaamd bijna: 'Nou, eh, ja,
erg aardig van u...'
Achter mij hoorde ik een stem fluisteren:
'Hebben we het wel over dezelfde Geronimo?'
Ik draaide mij om.
Ja hoor, het was neef Klem!

Hij giechelde: 'Hoe gaat het met onze tortelduifjes? Wanneer is de bruiloft? Ik wil getuige zijn!'

Ik probeerde hem de snuit te snoeren: 'Ssst!'

Maar hij ging maar door: 'Hebben jullie al ringen? Waarheen gaat de huwelijksreis?'

Ik werd steeds onrustiger: 'Hou op, alsjeblieft...'

Hij stopte niet, integendeel, hij ging lachend verder: 'En het bruiloftsmaal? Hebben  jullie daar al over nagedacht? Ik zou zeggen lekker klassiek:

Pasta gegratineerd met gorgonzola

*

Buffet van oude en jonge kazen

*

En natuurlijk een torenhoge kwark schuimtaart...

Om je snorharen bij af te likken! Ja, dat lust ik wel! Bruiloften zijn altijd leuk, je kunt je buik dan helemaal *gratis en voor niets* kogelrond eten.'

Ik werd steeds nerveuzer, en vroeg nog eens: 'Hou nu op over bruiloften, alsjeblieft.'

Klem zette zijn meest onschuldige snuit op en spotte: 'Geronimo, waarom verbleek je als ik over *verliefd zijn* praat... word je nog bleker als ik over *verloven* begin... en word je lijkbleek als ik het woord *trouwen* alleen maar uitspreek. En waarom word je nu *boos?*'

ALLEMACHTIG
WAT EEN RING...

Op dat moment kwam mijn zus Thea eraan.
Opgewonden piepte zij: 'Geronimo, is
het waar? Ik verheug me nu al op je bruiloft. Ik
maak de bruiloftsreportage. Mijn foto's kunnen
mooi op de voorpagina van *De Wakkere Muis*.
Dat levert een recordoplage op. Ik zie de
krantenkoppen al voor me: Geronimo Stilton
trouwt met de dochter van de koning van
de kaasvlinders. Muizenissig feest op
familiekasteel Zoetelief, exclusieve
reportage van onze verslaggeefster
Thea Stilton...
Laat het me zo snel mogelijk weten, ik moet nog

een feestjurk laten maken. Ik dacht aan een roze zijden avondjurk, lang tot op de enkels, afgezet met **KATTENBONT** (nep!), dat is in de mode.'

Benjamin trok aan mijn jasje. Helemaal **ontroerd** vroeg hij: 'Oom, mag ik bruidsjonker zijn?'

Ik was helemaal wanhopig. Ik wist niet wat ik moest doen.

Op dat moment vroeg *Manuela*: 'Mijnheer Geronimo, wilt u met mij een wandeling maken, in het romantische maanlicht?'

Ik gilde in totale wanhoop:

'DAT HAD JE GEDROOMD!'

Alle aanwezigen draaiden zich naar me om, en keken.

Ik hoorde de praatjes: 'Hun eerste ruzietje...'

'Jammer, het is zo'n leuk stel...'

'Ja, ja, de *liefde*...'

'Ze zeggen dat hij al voor vertrek ziek was, heel ziek.'

'Zijn familie heeft hem gered. Ze dwongen hem mee te gaan op deze cruise.'

'Een aandoening van EXTREME NERVOSITEIT, verschrikkelijk.'

'Ach ja, die intellectuele muizen zijn altijd wat kwetsbaarder, hun zenuwen...'

Mijn snuit kleurde rood van schaamte.

Ik probeerde te glimlachen.

Ik bood Manuela mijn arm aan en samen liepen we naar buiten, het dek op, terwijl alle knagers ons nieuwsgierig nakeken.

Weer hoorde ik het geklets van de toeschouwers:
'Ach kijk nou, ze hebben het al weer bijgelegd...'
'Men zegt dat hij wel vaker uit zijn velletje
knalt, spanningen...'
'Gelukkig heeft zij engelengeduld.'
Bij de drempel aangekomen struikelde ik en
viel plat op mijn snuit. Tijdens mijn val viel het
zakje kaaschips naar buiten.
Rattensnel wilde ik het weggraaien maar het
zakje knapte en het kleine zakje flippo's met
extra *VERRASSING* kwam naar buiten
gerold. De extra verrassing was: een grote
goudkleurige metalen ring met een enorme roze
nepsteen.
Snel wilde ik alles weer in mijn zak stoppen,
maar op dat moment kwam de maan
tevoorschijn en scheen op de roze steen en...
Manuela zag het!

Met een verrukte blik greep ze mijn poot en gilde: 'Geronimo! Geronimo! Geronimo! Een ring! Zijn we nu dan echt *verloofd?'*
Je zult het altijd zien, juist op dat moment kwam de boordfotograaf langs en die maakte snel een foto van ons! Kijk maar:

De fotograaf piepte enthousiast:
'GEFELICITEERD MET UW VERLOVING!'

Op dat moment wilde ik wel door het dek
zakken. Ik voelde mij zo alleen en niemand
begreep me.

'Eh ja, ik wilde niet, ik wilde echt niet, kijk
echt, de ring, het zakje chips, eigenlijk ben ik
gestruikeld...'

Maar Manuela was al naar binnen gestormd

om al haar vriendinnen de ring te laten zien.

Dan het commentaar van de passagiers:

'Jeetje, wat een steen...'

'**Gi-ga-groot,** bijna te groot om
echt te zijn...'

'Stilton wil denk ik een goede indruk maken.

Zijn opa heeft hem, zeggen ze, ongelooflijk de
les gelezen...'

'Ach ja, de *liefde*...'

Ik zat in de val. Als een muis tussen de tanden
van een **kat.** Of erger!

ECHTE MUIZENLIEFDE
IS ALS KAAS...

Ik ging naar buiten om een luchtje te scheppen.
Ik moest iets bedenken om mijzelf hier uit te
redden. Ik liep naar de brug en zag dat de zee
WOEST tekeer ging. Er stond een harde
wind. Het maanlicht scheen op de toppen van
de hoge golven.
Langzaam drong tot mij door dat ik dit niet
alleen kon. Ik had hulp nodig. Hulp en goede
RAAD.
Ik nam mijn mobieltje en toetste het nummer in
van tante Lilly.
Kennen jullie tante Lilly? Dat is mijn lievelings-
tante...

Ik hoorde de telefoon overgaan en wachtte met kloppend hart. Een... twee... drie keer. Het was ook al erg laat natuurlijk.

"Tante Lilly"

Eindelijk werd er opgenomen, ik hoorde de stem van tante Lilly: 'Ja hallo? *Met wie spreek ik?*'

'Tante Lilly! Ik ben het, Geronimo!'

Met een slaperige stem antwoordde zij: 'Geronimo! Lieve neef van me! Wat leuk! Gaat het goed met je?'

'Ja, tante! Ik bedoel nee, eigenlijk, nou kijk, het zit zo...'

Ze had direct in de gaten dat er iets aan de hand was. 'Geronimo, opa Wervelwind vertelde me dat je **trouwplannen** hebt!'

Ik hield het niet langer uit en mompelde:
'Tante, dat is nu precies waarover ik je bel.
Ik heb je hulp nodig.'
Tante Lilly was nu echt ongerust: 'LIEVE NEEF!
Vertel het me maar, ik zal je proberen te helpen!
Ik geef heel veel om je, dat weet je toch...'
Door deze lieve woorden schoten mijn ogen vol
tranen. Ik snikte: 'Tante, ze willen allemaal
dat ik trouw, maar ik hou helemaal niet van
haar...'
Ze zuchtte diep: 'Ach Geronimo, *verliefd* zijn
is zo mooi. De liefde geeft echt zin aan het
leven. Het is als een mooie bloem, bijzonder en
zeldzaam! Ik heb geluk gehad in mijn leven.
Twintig jaar geleden leerde ik je oom kennen
(ah, wat een muis) en ik hou nog steeds van
hem als toen die dag... Lieve Geronimo, *echte
muizenliefde is als kaas,* hoe ouder hoe

lekkerder (als hij van goede kwaliteit is tenminste)!!'

Ik zuchtte: 'Maar hoe weet ik of ik verliefd ben, tante Lilly?'

Ze murmelde: 'Dat zul je wel zien. Als je echt verliefd bent **VOEL JE VLINDERS IN JE BUIK,** je hart gaat sneller kloppen en je ziet alles door een roze bril. Dan denk je alleen nog maar aan haar!'

Ik begreep er niets van. Vlinders in je buik? En wat had die bril ermee te maken?

De lijn stoorde behoorlijk, maar ik hoorde tante nog eens herhalen: 'Neef, als je tegen de ware aanloopt, zul je dat merken. Dat zul je zien als het zo ver is.'

Ik brulde: 'Tante, maar ik zit klem!'

Haar stem klonk steeds verder weg: *'Echte muizenliefde is als kaas...'*

SPLASH!

De verbinding werd verbroken. Ik zette mijn mobieltje uit.

Ik liep naar de reling en keek naar de golven.

Ik wist wat me te doen stond.

Ik draaide me om en wilde naar het restaurant lopen om met Manuela te praten. Opeens maakte het schip een rare slinger en een golf spoelde over het dek. Ik probeerde me nog vast te grijpen, maar...

ZOEEEFFF!

Ik glibberde over het gladde, natte houten dek en spoelde met de golf mee overboord.

...en ik spoelde overboord...

MUIS OVERBOORD!

Door het gewicht van mijn NATTE KLEREN
werd ik naar beneden getrokken, in het diepe,
koude water. Gelukkig kwam ik weer boven.
Ik keek geschrokken naar het schip dat steeds
verder weg voer, zonder mij!
Er schenen fonkelende lichtjes uit de
kajuitraampjes en er klonk muziek in de stille
nacht.
'Help! Help! Piep! **Muis overboooord!**'
gilde ik... maar niemand hoorde mij.
Op dat moment, dat verschrikkelijke moment,
voelde het alsof alles voorbij was. Toen besloot
ik te vechten. Ik begon te zwemmen...

BANANENEILAND

Ik zwom oneindig lang, althans zo voelde het, in het ijskoude water. De golven werden steeds hoger. Het kostte me echt moeite mijn snuit boven water te houden! Om de moed erin te houden zei ik steeds weer hardop tegen mezelf: 'Niet opgeven... niet opgeven... de moed niet opgeven...' Ik zwom met al mijn kracht. Het leek alsof ik in het **donker** een eiland zag. Ik zwom verder, met mijn laatste krachten en ik spoelde volledig uitgeput op een strandje aan. Het begon al licht te worden. Ik klauwde met mijn vermoeide POTEN in het zand om vooruit te komen. Ik liet het strand achter me en... viel in slaap.

Toen ik weer wakker werd, scheen de ☀ zon ☀

Ik keek om mij heen: ik was gestrand op een

heel klein eilandje met een mooi wit strand.

Er stonden overal palmen en bananenbomen.

In de schaduw van de palmen pelde ik een

banaan. Terwijl ik mijn ontbijt opat dacht ik:

Nu zullen ze aan boord vast gemerkt hebben dat

ik er niet meer ben. Ze zoeken me, kunnen me

niet vinden en geven me op als vermist...

Ik dacht aan mijn familie. Even schoten de

tranen in mijn ogen toen ik aan Benjamin dacht:

Hij zou zoveel verdriet hebben! Maar ik moest

moed houden en me vermannen, *eh, vermuizen.*

'Nooit de moed opgeven,' zei ik nog eens tegen

mezelf. Ik keek om mij heen. Overal waar ik

keek zag ik bananen, dus noemde ik het eiland:

Bananeneiland.

MOED HOUDEN!

Werk aan de winkel...

1 *Bananenbladeren verzameld en daarmee een dak van een hut gemaakt.*

2 *In de hut een bed gemaakt van droge bladeren.*

3 *Een grote en een wat kleinere kei naar de hut gerold om die als tafel en stoel te gebruiken.*

Om wat op krachten te komen heb ik een dutje gedaan op mijn nieuwe bed en at ik een banaan.

4 *Takken verzameld en opgestapeld voor een vuurtje.*

5 *Met behulp van een brillenglas en zonne- stralen geprobeerd een vuurtje te stoken van droge bladeren.*

6 *Het kostte geduld, heel veel geduld, maar eindelijk kwamen er dunne rooksliertjes uit de opgestapelde droge bladeren... en er was vuur! Ik porde het vuur op en gooide er steeds bladeren op om het brandend te houden.*

Eerst de kleine blaadjes en dan steeds een beetje grotere, tot ik een lekker knappend vuurtje had...

7 *Ik zocht op de keien in het water naar schelpdiertjes. Ik vond ook een paar krabbetjes.*

8 *Ik legde de buit op een steen dicht bij het vuur.*

9 *Toen ze klaar waren, at ik ze op.*

Mjam, mjam, wat lekker!

Ik ging slapen op mijn bladerbed. Door een kleine kier in de hut kon ik de strakblauwe

hemel zien en het glanzende licht van de
maan die op het water scheen.

Wie weet wanneer ik gered zou worden... en of
ze me ooit kwamen redden.

Heel even bonkte mijn *hart* van angst maar ik
bedacht weer: Nooit opgeven... Nooit opgeven...
Moed houden!

IK BEN EEN
SCHIPBREUKELING!

Eindelijk op een ochtend (drie maanden later)
zag ik een rookpluim aan de horizon.
'Help, hier, **HIER BEN IK,'** gilde
ik en zwaaide wild met mijn poten.
Ik rende naar het vuur, dat ik altijd brandend
hield, en begon er potenvol gedroogde bladeren
op te gooien.
Ik verzond een S.O.S. van morsetekens,
met rooksignalen. Drie korte rooksignalen,
drie lange en weer drie korte.

• • •   — — —   • • •

Heel langzaam kwam de stip aan de horizon
naar me toe.

Toen het dichterbij kwam, zag ik dat het een schip was. Een enorm groot schip, misschien zelfs groter dan *De Muizenmuiter!*

Ik vreesde al dat het voorbij zou varen zonder mij te zien. Maar tergend langzaam kwam het in de richting van mijn eilandje varen.

'Hoera! Ik ben gered!' piepte ik.

Er werd een sloep overboord gezet, alweer veel te langzaam naar mijn zin, en deze kwam mijn kant op geroeid.

'Help! Piep! Hier ben ik! Ik ben een **aangespoelde muis!'** gilde ik uit alle macht, met een stem die trilde van emotie.

Ik rende naar het water, dook er in, en zwom naar de sloep.

A .—
B —...
C —.—.
D —..
E .
F ..—.
G — —.
H ....
I ..
J .— — —
K —.—
L .—..
M — —
N —.
O — — —
P .— —.
Q — —.—
R .—.
S ...
T —
U ..—
V ...—
W .— —
X —..—
Y —.— —
Z — —..

Mijn naam is Stilton, Geronimo Stilton!

'Bedankt! Bedankt dat jullie me komen redden!' stamelde ik met tranen in mijn ogen.

Toen we bij het schip aankwamen, zag ik dat het een **VRACHTSCHIP** was.

De kapitein, een rat met een **WOESTE BAARD,** heette mij welkom aan boord: 'U bent een muis met veel mazzel!' zei hij terwijl hij me stevig de 🐾🐾🐾🐾 schudde.

Ik piepte: 'Bedankt, bedankt dat u mij gered hebt, kapitein... Mijn naam is Stilton, *Geronimo Stilton!*'

IK HOU VAN JE,
OOM GERONIMO...

Twaalf uur later was ik al in Rokford, moe maar gelukkig. In de haven werd ik afgehaald door mijn zus Thea en mijn neven Klem en Benjamin. 'Neefje! We dachten al dat je TEN PROOI was gevallen AAN EEN KAT! Maar nee hoor, daar is hij levend en wel. Biecht nu maar op, volgens mij verdween je expres. Lekker uitrusten op een leuk klein afgelegen *eilandje*. Heel afgelegen... hihihihi...!' grapte Klem. Ondanks zijn grappenmakerij zag ik in zijn ooghoek een traantje glinsteren. Ik weet dat hij veel om me geeft, hij wil het alleen niet laten *merken*.
Thea sloeg haar poten stevig om me heen.

'Broertje, je weet niet half hoe ik je gemist
heb... wat fijn om je weer te zien! Wat een
VERSCHRIKKELIJK moment
was dat, toen bleek dat je verdwenen was
van het schip!'
Ik haalde ontroerd mijn snuit op. Mijn zus doet
altijd stoer, maar ze heeft een klein hartje,
waarin ik een plaatsje heb. Dat weet ik zeker.
Ook zij houdt niet van dat *sentimentele* gedoe.

Benjamin stormde op me af en vloog in mijn poten. Hij omhelsde me stevig, alsof hij bang was dat ik weer weg zou gaan.

Ik glimlachte: 'Rustig maar, rustig, kaas-bolletje, ik ben er nu en ik ga niet meer weg. Dat beloof ik je!'

'Oom Geronimo! Ik heb je zo gemist! Ik wist zeker dat je nog leefde. Elke avond voor ik ging slapen dacht ik aan je, en wenste heel hard dat je terug zou komen...'

Benjamin SNIKTE EN SNOTTERDE. Hij vond het niet erg om zijn gevoelens te laten zien. Ik pakte hem stevig vast, te ontroerd om ook maar een woord uit mijn muizenstrot te krijgen. Ik begon zelfs een beetje mee te snotteren. Ik gaf hem zachtjes een *kusje* op zijn snuitje. Om ons heen hadden zich een heleboel journalisten verzameld die voortdurend foto's maakten.

'Mijnheer Stilton! Vertel ons uw verhaal!'

'Hoe was het eiland? Hoe hebt u het overleefd?'

'Wat was voor u het ergste moment?'

'Hebt u echt al die tijd alleen maar bananen gegeten?'

'Verlangde u niet naar een lekker stuk oude kaas?'

'Wat gaat u nu doen?'

Ik pakte Benjamin bij zijn pootje.

'Allereerst ga ik met mijn neefje een gi-ga-gantische kaasijsco eten.'

We liepen samen naar de IJSSALON.

Daar maken ze nog zelf ijs, om je snor bij af te likken! En daar bestelden we twee ijshoorns met een grote bol ijs en een grote rode kers erop.

'O, wat lekker zo'n ijsje!

Vooral met kaassmaak,

gi-ga-lekker!'

PIZZA MET
DRIE SOORTEN KAAS

Die avond waren we allemaal uitgenodigd om
bij opa Wervelwind te komen eten.
Zijn *huishoudster* had voor ons gekookt.
'Mijnheertje Geronimo, weet u al wat er op het
menu staat vanavond?

Lasagne met gesmolten jonge kaas, pizza met
drie verschillende soorten kaas, soep met
geraspte kaas en echte kaasballen. Een diner
om uw snor bij af te likken, of niet soms?'
Ik was blij, **ZO BLIJ.** Wat was ik blij
om weer met de hele familie bij elkaar te zijn.
Die lieve tante Lilly, opa Wervelwind...
'Kleinzoon, je hebt ons nog helemaal niet
verteld hoe je het hebt overleefd daar op dat
verlaten eiland!' bromde opa.

'Ja, lief neefje, vertel ons alles...' piepte tante Lilly, terwijl ze, helemaal *ontroerd,* over haar snorharen streek.

Ik schraapte mijn keel en begon te vertellen.

'Ja, eh nou, het zat zo, als eerste ben ik toen een hut gaan maken...'

Klem vroeg nieuwsgierig: 'En wat at je daar, neef? Hè? Wat at je?'

Ik zuchtte: 'Bananen, bananen en nog eens bananen... en schelpdiertjes...'

Tante Lilly verzuchtte: 'Helemaal geen kaas? Geen enkel hapje? Arm neefje, wat een leed!'

Klem giechelde: 'Een geluk bij een ongeluk. Hij is er van afgevallen! Dat was een gratis dieet: het bananendieet!'

Ik wilde er net tegenin gaan toen de telefoon begon te rinkelen.

Vreemd! Wie kon dat nu zijn?

Ik nam op: 'Hallo! Stilton,
Geronimo Stilton...'
Een *honingzoete* stem
aan de andere kant van de
lijn: 'Geronimo, ben jij het,
Geronimo?'
Ik sprong op van schrik.
Dat was de stem van *Manuela Zoetelief*.

IK MOET JE IETS
VERTELLEN...

Ik raapte al mijn moed bij elkaar en piepte in de telefoon: 'Manuela, ik moet je iets vertellen!'

Zij fluisterde: 'Ja, Geronimo, ik moet jou ook iets vertellen.'

Ik nam plotseling een besluit.

'Wacht op me, ik kom er aan!'

Ik gooide de hoorn op de haak en stond HAASTIG op.

Tegen mijn familie kon ik nog net uitbrengen: 'Sorry, ik moet even weg, ik ga naar Manuela!'

De hele kliek was verbaasd. Het leek wel of ze
me probeerden

tegen te houden...

Terwijl ik wegliep gilde Klem: 'Geronimo, we
moeten je iets vertellen...'
Thea en tante Lilly gilden in koor: 'Ja,
Geronimo luister, we moeten je iets vertellen...'
Zelfs Benjamin gilde: 'Oom, oom Geronimo!
Oompje! We moeten je echt iets heel, heel
BELANGRIJKS vertellen!'
Maar ik **moest** naar *Manuela*, ik kon haar
niet langer laten wachten.

DE TANGOLERAAR?

Helemaal uitgeput kwam ik bij de zeer luxe villa van Manuela aan. Deze stond in een heel vooraanstaande woonwijk van Rokford. De butler liet mij binnen. Terwijl ik wachtte in de zeer *smaakvol* ingerichte salon begon ik te begrijpen dat ik een heel rijke, zelfs *ontzettend* rijke schoonfamilie aan mijn neus voorbij wilde laten gaan.

Maar mijn besluit stond vast. Ik moest haar vertellen dat ik niet van haar hield, en ook nooit van haar zou houden...

Manuela was nog maar nauwelijks binnen of ze begon op *dramatische* toon te piepen:

O Geronimo, je leeft!

'O, Geronimo! Je leeft! Je bent het echt! Wie weet hoe je hebt geleden! Ik dacht dat je voor altijd verdwenen was uit mijn leven... *O,* ik heb zo geleden. *O,* wat heb ik geleden!'

Ik murmelde **beschaamd:** 'Eh, ja, het spijt me, juist daarom, ik wilde zeggen, ja, dat bedoel ik, springlevend...'

Terwijl ze een **traan** droogde op haar snuit fluisterde ze: 'Geronimo, ik moet je iets vertellen.'

Ik liet haar niet uitspreken: 'Eh, ja, ik moet je eerst iets vertellen!'

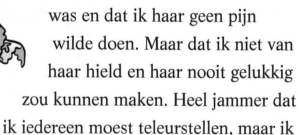

Ik wilde haar uitleggen dat ik een **welopgevoede** man, *eh muis,* was en dat ik haar geen pijn wilde doen. Maar dat ik niet van haar hield en haar nooit gelukkig zou kunnen maken. Heel jammer dat ik iedereen moest teleurstellen, maar ik wilde niet met haar trouwen!

Ik dacht na over hoe ik dat, zonder haar al te veel pijn te doen, het beste kon vertellen.

Tijdens het nadenken luisterde ik niet naar wat Manuela tegen me zei. Ze probeerde me iets uit te leggen. Waar had ze het over?

Ik ving af en toe een woord op: 'verdrietig... lessen... tango...'

Ik schrok wakker uit mijn overpeinzingen en stomverbaasd vroeg ik: 'Sorry, maar wat heeft de tango ermee te maken?'

Ze droogde nog maar eens een traan en herhaalde: 'Ik was zo verdrietig toen je verdween. Ik ben toen tangolessen gaan volgen. Veel, heel veel tangolessen. 's Ochtends, 's middags en 's avonds.'

Ik vroeg nog verbaasder: 'Ja, en toen?'

Zij vertelde verder: 'Eh, ja, ik...'

Ze leek even te twijfelen en ratelde toen heel
snel achter elkaar door: 'Ja, en toen ben ik met
de tangoleraar getrouwd!'

Ik was er helemaal ondersteboven van en moest
even gaan zitten.

'Wat wat wat? Ben je met de tangoleraar, **Pablo
Gitana** (bijgenaamd De Aal) getrouwd?!'

Ze knikte.

Toen zag ik pas dat ze aan haar
linkerpoot een trouwring droeg.
Manuela was getrouwd!

'Vergeef me, vergeef me, Geronimo.

Ik voelde me zo alleen...

boeh... boeh... boeh... snik!

Het spijt me, het spijt me heel erg, Geronimo,
maar iedereen dacht dat je voorgoed was
verdwenen. Ik was zo verdrietig, ik huilde
de hele dag, van 's morgens vroeg tot 's avonds

laat. En de tango... begrijp je... herinner je je die muziek nog?'

Zachtjes zong ze:

'Als de muis van wie je houdt
niet bij je kan zijn,
hou dan van de muis
die bij je is... olé!'

Ik snapte er niets meer van maar bleef maar herhalen: 'Ik snap het... ja, ja de **tango...**'

Toen zag ik een foto staan, ingelijst in een mooie zilveren fotolijst: Manuela en Pablo op hun huwelijksdag.

Ze leek zich opeens iets te herinneren: 'Trouwens, wat wilde jij *mij* vertellen?'

Ik glimlachte en schudde mijn kop. 'Niets.
Onbelangrijk. Ik wil je wel veel *geluk*
wensen. Ik hoop dat je heel gelukkig wordt
Manuela! Liefde is zo belangrijk, liefde is als
een bloem. *Beter nog: als kaas!'*
Ik bedacht me dat het in het leven soms raar
kon lopen, maar dat alles uiteindelijk op zijn
MUIZENPOOTJES terechtgekomen was.
Terwijl ik de luxe villa van Zoetelief verliet,
belde ik Benjamin en zei: 'Houd de lasagne voor
me warm, ik kom er aan!'
Gelukkig, dit avontuur was voorbij. Ik was blij
dat Manuela haar *zielsverwant* had gevonden.
Ik wilde met de liefde voorlopig *niets* te maken
hebben. Ik wilde geen problemen meer!
Het regende, ik stak een poot omhoog om een
taxi aan te houden.
'*TAXI,*' gilde ik.

Opeens hoorde ik een zachte vrouwenstem
achter mij roepen: 'Taxi!'
Wat een zoete stem! Als betoverd draaide ik mij
om... en zag een erg mooi muisje!
Ik keek in haar **lichtparse** oogjes en
opeens... opeens wist ik het: ik was verliefd,
hopeloos verliefd!
Met van opwinding **trillende** snorharen
stamelde ik: 'Mag ik mij misschien voorstellen?
Mijn naam is Stilton, *Geronimo Stilton...*'
Ze gaf me een fluweelzacht pootje.

Ik boog naar voren en gaf haar het meest
perfecte *pootkusje* ooit (was de cursus op
de boot niet helemaal voor niets geweest!).
En ik piepte: 'Alstublieft,' en opende het portier
van de taxi voor haar.
Ze lachte naar me (wat een ZOETE lach!)
en murmelde: 'O, mijnheer Stilton, wat galant!'
Ik voelde vlinders in mijn buik.
Mijn hart ging **TEKEER** als een gek, mijn
kop tolde; ik was helemaal in de WAR.
Ik dacht aan de woorden van tante Lilly en wist
opeens wat ze bedoelde.
'Als je *verliefd* bent, voel je vlinders in je
buik!'

Ach, echte muizenliefde is als kaas...

Ach, de liefde...

Vlinders in mijn buik...

INHOUD

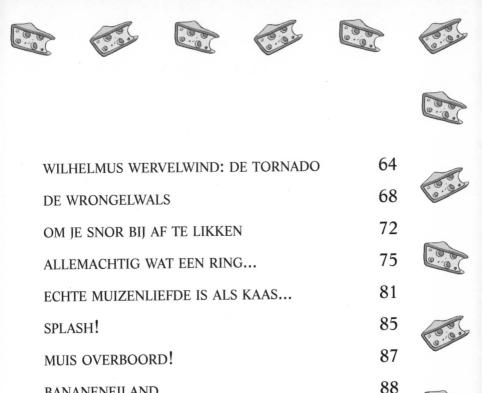

GI-GA-GEITENKAAS, IK HEB GEWONNEN!

tekst: Geronimo Stilton
illustraties: Larry Keys e.a.
formaat: 14,5 x 18,5 cm
omvang: 128 pagina's
druk: volledig in kleur
bindwijze: gebonden
voor 8 jaar en ouder

Heel Rokford is in de ban van de Lucky Mouse-loterij.
Ook mijn neef Klem heeft een lot en... hij wint!
Van de ene op de andere dag, is hij een rijke muis.
Helaas stijgt het geld hem naar de bol.
Maar het blijkt uiteindelijk dat echt geluk onbetaalbaar is!

DE VOETBALKAMPIOEN

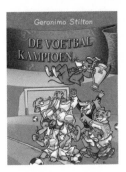

tekst: Geronimo Stilton
illustraties: Larry Keys
formaat: 14,5 x 18,5 cm
omvang: 128 pagina's
druk: volledig in kleur
met 2 stickervellen
bindwijze: gebonden
voor 6 jaar en ouder

Heel Rokford is in de ban van het voetbal. Over een paar
dagen wordt de belangrijke finale om de Voetbalcup
gespeeld tussen FC Tornado (de voetbalclub van opa
Wervelwind!) en Ratjax. En de kans is groot dat 'wij' gaan
winnen, want wij hebben de super voetballer Johan Kuif!
Maar dan belt mijn opa me midden in de nacht wakker met
een schokkend bericht: Johan Kuif is ontvoerd! En mijn
familie en ik moeten op zoek naar de dader...

Met 2 stickervellen, een voetbal-
encyclopedie, en speeltips van
Tony de Sousa Cruz

Geronimo Stilton

Lees nu ook mijn avonturen!

Richting Rattig Rattengebergte

Roverseiland

Galjoen van de Kattenpiraten

Hier zwemmen walvissen

Tortuga

Golf van de Rotte Tand

Archipel van de Muskusrat

De Gelukzalige Eilanden

Koraalrif

Dolfijnen-baai

Schilf... haven

Richting Zuidelijke Rattenoceaan

Ankerplaats van de Zwerfkat

Schimmelhaven

Ratfurt

Hier haaien!

Richting Trillende Snorharenzee

Ratterdam

ROKFORD

Korsthaven

Vuurtoren

Wauweleiland

Uitstekend scheepswrak

Richting Parmezaanse Zee

MUIZENEILAND

Muizeneiland

1. Groot IJsmeer
2. Spits van de Bevroren Pels
3. Ikgeefjedegletsjerberg
4. Kouderkannietberg
5. Ratzikistan
6. Transmuizanië
7. Vampierberg
8. Muizifersvulkaan
9. Zwavelmeer
10. De Slome Katerpas
11. Stinkende Berg
12. Duisterwoud
13. Vallei der IJdele Vampiers
14. Bibberberg
15. De Schaduwpas
16. Vrekkenrots

17. Nationaal Park ter Bescherming der Natuur
18. Palma di Muisorca
19. Fossielenwoud
20. Meerdermeer
21. Mindermeer
22. Meerdermindermeer
23. Boterberg
24. Muisterslot
25. Vallei der Reuzensequoia's
26. Woelwatertje
27. Zwavelmoeras
28. Geiser
29. Rattenvallei
30. Rodentenvallei
31. Wespenpoel
32. Piepende Rots
33. Muisahara
34. Oase van de Spuwende Kameel
35. Hoogste punt
36. Zwarte Jungle
37. Muggenrivier